W9-BKF-225

Le chien qui voulait
être chat

Loi numéro 49 956 du 16 juillet 1949 sur les publications
destinées à la jeunesse : septembre 1990
Dépôt légal : octobre 1996
Imprimé en France par Aubin Imprimeur à Poitiers-Ligugé

Philippe Corentin

LE CHIEN QUI VOULAIT ÊTRE CHAT

lutin poche de l'école des loisirs
11, rue de Sèvres, Paris 6e

«Hep! Hep! Attends-moi!»

Le lapin n'en croit pas ses grandes oreilles. En général, les chiens de chasse le prennent pour un idiot mais jamais à ce point-là.

«Hep! Holà! Ho! Ralentis!» aboie son poursuivant.

Notre lapin, à force de zigzags, réussit à atteindre un champ de maïs.
De sa cachette, il aperçoit le chasseur mais plus le chien.
«Routoutou, ici! Au pied!» hurle le chasseur qui s'éloigne.

Le lapin peut enfin respirer. Mais, soudain, on lui tape sur l'épaule.

« N'aie pas peur, c'est moi ! » chuchote celui qu'il croyait avoir semé. « Il faut que tu me caches ! »

« Te cacher ? »

« Oui. Je ne veux plus être chien de chasse, c'est vraiment trop fatigant ! »

« C'est toi, Routoutou ? » demande le lapin.

« Oui et toi ? »

« Moi ? Je m'appelle Grandoreille... Mais si tu ne veux plus être chien de chasse, que veux-tu faire ? »

« Le lapin ! » dit Routoutou. « Je veux faire le lapin ! »

« Quoi ? » s'exclame Grandoreille qui manque d'en perdre l'équilibre.

«Tu es fou! Tu veux finir en civet?» reprend Grandoreille après avoir changé de place avec Routoutou qui, décidément, se fatigue bien vite.

«Ou alors cochon, tiens ! Ça, c'est bien, cochon !» dit Routoutou en se recoupant une tranche de saucisson. «Ça ne fait rien et ça mange toute la journée…»

«C'est toi qui seras mangé !» l'interrompt Grandoreille.

« Bon ! Mais alors quoi faire ? » s'interroge Routoutou qui aide Grandoreille à creuser une nouvelle galerie.

« Écoute, Routoutou ! Les poules font des œufs, les chiens montent la garde et les vaches donnent du lait. Voilà, c'est comme ça ! » lui répond Grandoreille excédé. « Ou tu travailles, ou tu finis dans une casserole ! »

« Et chat ? » s'exclame Routoutou alors qu'apparaissent les premières carottes.

« Ah ! Chat, ça c'est pas mal », admet Grandoreille. « Ça ne fait vraiment rien, un chat, et de plus je n'en ai jamais vu dans un ragoût. »

Mais être chat, ça s'apprend. Aussi Grandoreille décide-t-il de donner des leçons à son ami.

«Viens ici, Routoutou!»

«Première leçon!» hurle le professeur. «Un chat ne vient jamais quand on l'appelle!»

« Pour la peine, apporte-moi une carotte », reprend Grandoreille d'un ton sévère.

« Tout de suite ! » dit Routoutou.

« Deuxième et dernière leçon ! » hurle le professeur. « Un chat ne rapporte jamais rien, ni balle, ni carotte, ni quoi que ce soit ! »

Les coups de carotte ont fait leur effet. Dès le lendemain, Routoutou est fin prêt et, en compagnie de son ami, il se met en quête d'une place de chat.

Mais toutes les places sont déjà prises; par des chats, évidemment, mais aussi par des renards, des poules, des moutons et même des cochons.

Le soir, dépité, Routoutou accepte d'accompagner son ami à la pêche au chou. Mais le cœur n'y est pas.

«Je te l'avais dit. Tout le monde veut être chat en ce moment!» dit Grandoreille.

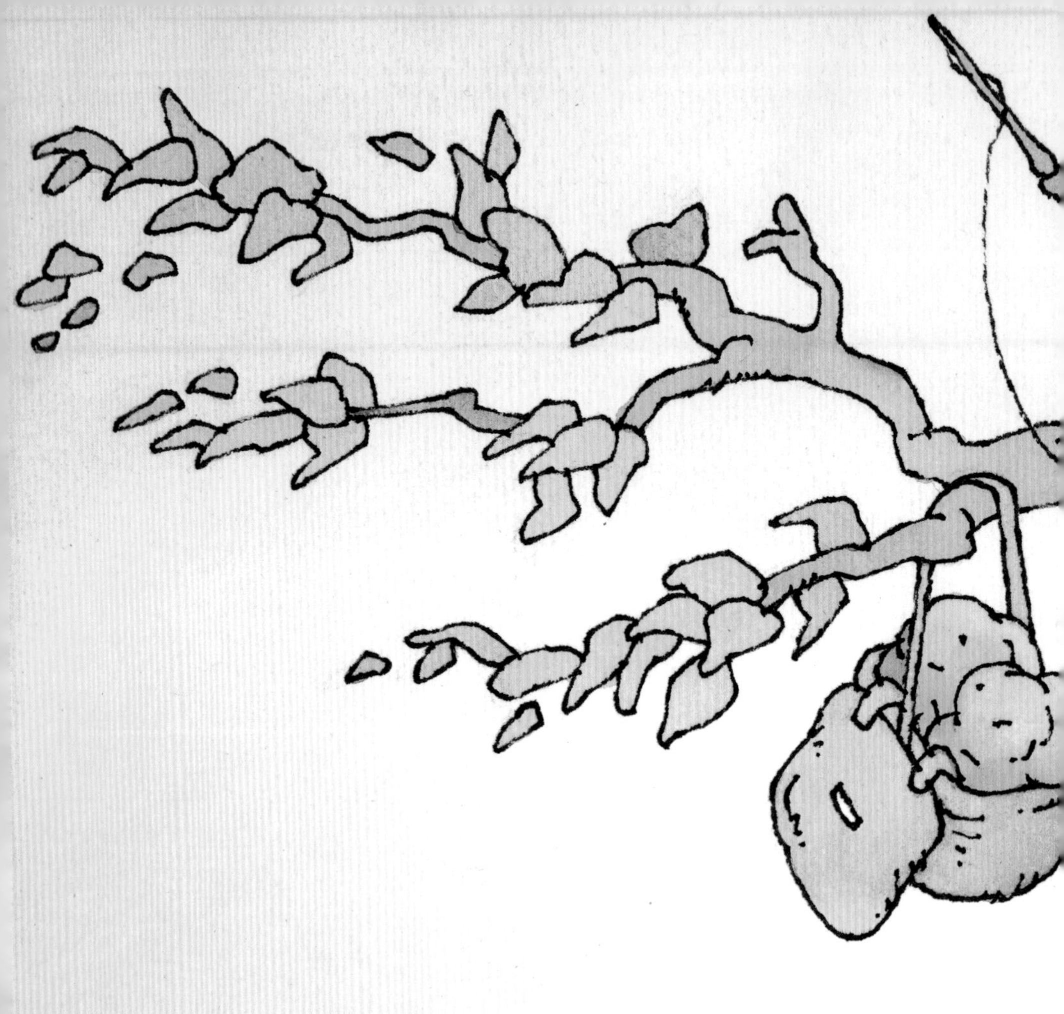

«Ça y est, j'ai une idée!» s'exclame Routoutou qui s'élance soudain en déployant ses ailes.

Mais notre oiseau vole beaucoup trop vite et il ne peut éviter la rivière.
Grandoreille se précipite.
L'oiseau a disparu mais il réapparaît enfin.
«Ça me donne une idée!» dit Routoutou qui disparaît en s'ébrouant.

«Vous n'avez pas vu Routoutou?» s'inquiète Grandoreille qui rentre un peu plus tard.

«Non, Papa! Mais regarde, on a un nouveau poisson rouge...»